CALYPSO
Cousteau

Colección coordinada por Paz Barroso

Título original: *LOUTRES*
Traducción del francés: *Cristina M. Aceña*
© Hachette y The Cousteau Society, 1991
© Ediciones SM, 1992 - Joaquín Turina, 39 - 28044 Madrid
ISBN: 84-348-3719-6
Impreso en Italia por G. Canale / Turín
Comercializa: CESMA, S.A. Aguacate, 25 - 28044 Madrid

NUTRIAS MARINAS

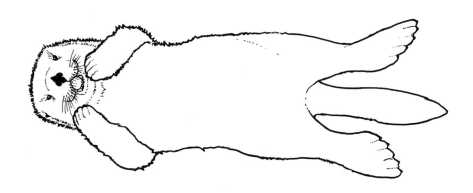

La nutria marina pasa toda su vida en el agua.
Gracias a sus pies palmeados, nada muy bien.

La nutria es un mamífero pequeño.
Su pelo espeso la protege del frío.

La nutria acaba de despertarse. Ha dormido toda la noche en su cama de algas.

Envuelta en las algas, descansa tranquila,
pues éstas impiden que la corriente la lleve.

¡Ahora toca asearse! Con mucho cuidado,
la nutria se frota y se lame.

Dedica mucho tiempo a esta labor.
Su pelo espeso debe quedar muy limpio.

Cuando ha terminado, flota boca arriba, con las cuatro patas fuera del agua.

Como el mar está bastante frío, necesita secarse y calentarse al sol.

La nutria envuelve a su cría en algas cuando se aleja de ella. Así sabe dónde está.

Cuando quiere llevarla a algún sitio, se la pone sobre el vientre y nada de espaldas.

Ahora bucea hondo para buscar su alimento
preferido: los cangrejos y los erizos de mar.

Luego, se los come tranquilamente, mientras flota de espaldas usando su vientre como mesa.

LA NUTRIA MARINA

Enhydra lutris

La nutria marina en el reino animal

Como todos los mamíferos, la nutria respira por pulmones, tiene el cuerpo cubierto de pelo, amamanta a sus crías y es un animal de sangre caliente*.

Es un mamífero marino, como las focas, las ballenas, los leones marinos, los delfines y los manatíes*.

La nutria marina pertenece a la misma familia que la nutria de río, el tejón, la comadreja y el armiño.

Es carnívoro*, como las focas y los leones marinos, puesto que come pequeños animales marinos.

* Las palabras señaladas con asterisco se explican en el vocabulario.

La nutria marina en el mundo

Las nutrias marinas viven en las aguas frías del Pacífico, a lo largo de las costas de Norteamérica: en la Baja California, en Alaska, en las islas Aleutianas, las islas del Comendador y otras.

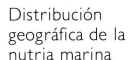

Distribución geográfica de la nutria marina

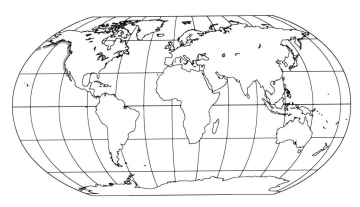

Viven cerca de las costas rocosas donde abundan las algas. Las nutrias marinas de Baja California viven en los bosques de algas gigantes llamados *kelps**. No van nunca a tierra, pues la costa está demasiado frecuentada. Todo lo contrario les ocurre a las nutrias de Alaska, que paren y amamantan a sus crías en tierra firme.

Peso: 30 kilos.

Tamaño: 1,8 metros
(desde la cabeza hasta el extremo de la cola).

Cúantos años vive: alrededor de 20.

¿Qué come?

La nutria come mucho, pues necesita gran cantidad de energía para mantenerse caliente en las aguas heladas donde vive permanentemente. Su menú es muy variado: moluscos (especialmente orejas de mar*), erizos de mar, cangrejos y, de vez en cuando, una estrella de mar o un pez. Para atraparlos, bucea y busca entre las algas y las rocas del lecho marino. La nutria regresa a la superficie con su presa y también con una piedra. Flota sobre el lomo y coloca la piedra sobre su vientre. Entonces, golpea el cangrejo o el molusco sobre este yunque improvisado hasta que el caparazón se rompe. Junto con los pájaros y los monos, la nutria marina es uno de los pocos animales que utiliza instrumentos.

¿Cómo nacen las crías?

La nutria marina trae al mundo una sola cría cada dos o tres años. La gestación* dura de 8 a 9 meses. El recién nacido mide 50 centímetros y pesa 2 kilos. La madre flota sobre el lomo y lo coloca sobre su vientre para que pueda mamar. Sólo se separa de su madre cuando ésta bucea. Entonces, lo envuelve en un lecho de algas para que no se lo lleve la corriente. La cría no aprende a nadar hasta los 3 meses. Cuando tiene un año, ya sabe bucear y se busca su propio alimento.

¿Cómo vive?

La nutria vive en pequeños grupos. Tiene que respirar fuera del agua, pero puede permanecer entre 5 y 8 minutos bajo el mar, reteniendo la respiración, y descender a 60 metros de profundidad. Duerme en la superficie del agua. Para no ser arrastrada por la corriente mientras descansa, se envuelve en las algas gigantes.

La nutria dedica muchas horas del día al aseo de su pelo, que debe quedar muy limpio para impedir que el agua penetre hasta la piel. El pelo le proporciona calor y la aísla del agua, lo que le permite sobrevivir en los mares fríos.

¿Quiénes son sus amigos y quiénes sus enemigos?

Las nutrias comparten su territorio con un gran número de habitantes del bosque de algas: leones marinos, peces, crustáceos, pulpos, erizos, etc.

A veces, las orcas y los tiburones cazan alguna nutria para comérsela.

¿Está en peligro la especie?

Durante mucho tiempo, el hombre ha cazado la nutria por su codiciada piel. Esta especie ha estado a punto de desaparecer. En la actualidad, su caza está prohibida. Los pescadores que viven de la venta de orejas de mar* están enfurecidos: creen que las nutrias son las responsables de que haya pocas y quieren que se permita de nuevo la caza de este mamífero. En estas aguas tan frecuentadas por los petroleros, las nutrias se encuentran también amenazadas por las mareas negras. A pesar de ello, el número de ejemplares va aumentando poco a poco.

Animal de sangre caliente: Animal que tiene una temperatura corporal constante, sea cual sea la temperatura exterior.

Carnívoro: Animal que se alimenta de otros animales.

Gestación: Período durante el cual el embrión de la futura cría se desarrolla en el vientre de la madre.

Kelp: Alga parda que crece y se adhiere al fondo con zarcillos, y que puede medir hasta 30 metros de altura.

Manatí: Mamífero marino que vive siempre en el agua y que se ha adaptado a la vida acuática. Sus miembros se han transformado en aletas.

Oreja de mar: Molusco de gran tamaño y excelente sabor, que se adhiere a las rocas. Su concha tiene una sola valva.

1) **¿Por qué ha estado la nutria a punto de desaparecer?**

....

2) **¿Dónde duerme?**

A) Sobre una roca   B) En el fondo del mar C) Envuelta en algas

3) **Observa la foto. ¿Qué hace la nutria? ¿Por qué?**

4) **La nutria pertenece a la familia de los mamíferos, como:**

A) El mono

B) La tortuga

C) El pez

5) **Para romper el caparazón de los cangrejos, la nutria utiliza un utensilio. ¿Cúal es?**

A) Una concha

B) Una piedra

C) Un palo